Hamsters

stap-voor-stapverzorging van je lievelingsdier

> Auteur: Monika Lange | Foto's: Ulrike Schanz en andere

BIBLIOTHEEK BREDA
Wijkbibliotheek Zuid-Oost
Allerheiligenweg 19
4834 TM Breda

D0318762

Tirion
NATUUR

Inhoud

Een prettig thuis

Fit en gezond

Kennismaking

Bezighouden

Aanhangsel

BIBLIOTHEEK·BREDA
Wijkbibliotheek Zuidoost
Allerheiligenweg 19
tel. 076 - 5657675

Een prettig thuis

De juiste keus

Als je je voor hamsters als huisdieren interesseert, kun je kiezen tussen goudhamsters en dwerghamsters.

Goudhamsters

De bekende goudhamster of Syrische hamster (*Mesocricetus auratus*, zie blz. 8-9) is afkomstig van de vruchtbare hoogvlakten rond de Syrische stad Aleppo, waar hij op de akkers geen graag geziene gast is. Het is een solitair dier dat holen graaft met verschillende in- en uitgangen, slaapnesten en voorraad- en toiletkamers. Tijdens koude winters houdt hij daar zijn winterslaap.

Dwerghamsters

Dwerghamsters zijn afkomstig van de schrale steppen en halfwoestijnen van Mongolië en het zuiden van Siberië en uit Noord-China. De Russische of Dzjoengaarse dwerghamster (*Phodopus sungorus sungorus*, zie blz. 9) en de piepkleine Roborovski dwerghamster (*Phodopus roborovskii*, zie blz. 9) hebben een dichte vacht en behaarde voetzolen. De vacht van de Russische dwerghamster wordt in de winter wit. De Chinese dwerghamster (*Cricetulus griseus*) valt vooral op door zijn grotere oren en langere staart.

Dwerghamsters zijn voornamelijk nachtdieren, maar ze hebben overdag ook hun wakkere perioden, dit in tegenstelling tot de goudhamsters. Ze leven alleen of in kleine familiegroepen en voeden zich met zaden en insecten. Aan winterslaap doen ze niet.

Zowel de levendige Russische als de rustigere Chinese dwerghamster worden echt tam. Roborovski dwerghamsters sluiten zich niet zomaar bij mensen aan. Het zijn kleine, snelle diertjes die je niet zo gemakkelijk op je hand houdt.

Na een lekker dutje gaan hamsters graag op verkenning.

Een hamster en ik – past dat bij elkaar?

Wat zou het leuk zijn om (weer) een huisdier te hebben! Zowel mens als huisdier heeft echter behoeften die moeten worden vervuld. Luidruchtige grasparkieten maken niet dezelfde mensen gelukkig als een hagedis. Geef daarom nooit spontaan een dier aan iemand cadeau!

Geschikt voor kinderen?

Hamsters worden in dierenspeciaalzaken vaak als dieren voor kinderen aangeboden, hoewel ze slechts tot op zekere hoogte voor deze doelgroep geschikt zijn. Ondanks hun zachte vacht zijn deze kleine knaagdieren namelijk geen knuffelbeesten. Ze zijn er niet stevig genoeg voor en bovendien worden ze pas 's avonds actief. Overdag hebben ze beslist rust nodig. Daarom kan het van heel jonge kinderen te veel gevraagd zijn een hamster de juiste verzorging te geven. In een gezin waarin de ouders gek op hamsters zijn en ze de kinderen daarin meenemen, passen hamsters echter wel goed.

Ben je een hamstermens?

	Ja	Nee
1. Wil ik graag een dier om te knuffelen of verheug ik me elke avond op mijn 'hamstertelevisieprogramma'?	☐	☐
2. Hamsters leven gemiddeld maximaal twee tot drie jaar. Kan ik werkelijk vrede hebben met die wetenschap?	☐	☐
3. Hamsters zijn nachtdieren met een zeer vast slaapritme. Kan ik de discipline opbrengen om ze niet steeds wakker te maken? Dat zou hun leven dramatisch verkorten.	☐	☐
4. Is de verzorging tijdens vakanties geregeld?	☐	☐
5. Kan ik mijn hamster uit de buurt houden van andere huisdieren?	☐	☐
6. Is iemand in mijn gezin allergisch voor dierenharen?	☐	☐

5 tot 6 keer 'ja': je bent een geboren hamstermens.
3 tot 4 keer 'ja': je zou goed met hamsters overweg moeten kunnen.
0 tot 2 keer 'ja': een hamster past niet bij je. Wat denk je van een parkiet?

Hamsters hebben een eigen wil

Hamsters worden min of meer vertrouwelijk en aanhankelijk, maar behouden – net als katten – hun onafhankelijkheid. Er wordt gespeeld wanneer de hamster dat wil en die vrijheid verdedigt hij wel eens met een niet mis te verstane beet. De onafhankelijkheid van de hamster betekent echter ook dat hij een weekend alleen kan blijven. Hamsters passen bijzonder goed in actieve gezinnen, waarvan de gezinsleden er plezier in hebben het gedrag van hun kleine vriendjes te observeren.

Hamster-portret

Het zijn niet alleen de verschillende hamstersoorten die zich onderscheiden in gedrag, zelfs afzonderlijke kleurslagen hebben vaak verschillende karaktereigenschappen.

Zo zien in het wild levende goudhamsters er ook uit. Hamsters met deze wildkleur staan bekend als sterk en ongecompliceerd.

Er zijn langharige, satijnlangharige, rex- en satijnhamsters. Ze moeten allemaal een beetje met de vachtverzorging worden geholpen. Hamsters met een satijnbeharing staan bekend als gemakkelijk in de omgang.

Crèmekleurige goudhamsters gelden – net als de zwartorige Russen – als vriendelijk.

Russische dwerghamsters hebben een 'aalstreep', kleine oren en een korte staart. Deze soort bestaat inmiddels in vele kleurvarianten.

Deze mooi getekende hamsters zijn moeilijk tam te maken en daarom niet zo geschikt voor beginners.

De Roborovski dwerghamster wordt maar zo'n 7 centimeter lang. Hij heeft witte 'wenkbrauwen' en bakkebaarden en een zandkleurige rug.

Typische kenmerken van de Chinese dwerghamster zijn de donkere middenstreep over de rug en het 2 tot 3 centimeter lange staartje.

De aanschaf

En nu op naar de dierenspeciaalzaak? Wacht even! Je moet eerst nog een paar vragen beantwoorden.

Wat komt mijn mens doen? Wil hij spelen of brengt hij voer mee?

Hoeveel dieren?

Goudhamsters voelen zich pas prettig als ze een mooie kooi helemaal voor zich alleen hebben. Ze krijgen last van stress als ze hun kooi met soortgenoten moeten delen. Dit geldt ook voor de vreedzame kleurslagen. Dwing goudhamsters daarom nooit tot een onnatuurlijk leven in een groep – de onvermijdelijke territoriumgevechten vanwege het ontbreken van vluchtmogelijkheiden vaak slecht aflopen.

Chinese dwerghamsters zijn doorgaans solitaire dieren, terwijl Russische en Roborovski dwerghamsters ook met meer in een kooi kunnen. Voorwaarde is dan wel dat ze al als jonge dieren bij elkaar zaten, maar ook dan is er van tijd tot tijd luidruchtig geharrewar om de rangorde te bepalen.

Groepen zijn de moeite waard, maar ze hebben dan een grotere kooi nodig en meer mogelijkheden om zich bezig te houden. Alleen dan vliegen de dieren elkaar niet uit verveling in de haren. Een garantie op eeuwigdurende vrede kan echter nooit worden gegeven. Onverdraagzaamheid kan zomaar de kop opsteken. Maar ook een dwerghamster vindt het prima om alleen te leven.

TIPS

Waar koop je een hamster?

- In de regel koop je een hamster in de plaatselijke dierenspeciaalzaak, omdat je dan het kortse onderweg bent.
- Wie een bijzondere kleurslag wil kopen, moet zich rechtstreeks tot een fokker wenden. Adressen van fokkers zijn te verkrijgen bij kleindierenverenigingen, dierenartsen, via advertenties in kranten en op internet (zie blz. 60).
- Particulieren en dierenasiels hebben altijd hamsters in de aanbieding, omdat hamsters zich gemakkelijk en snel voortplanten.

Vrouwtje of mannetje?

Zowel vrouwtjes als mannetjes worden tam. Met uitzondering van de Russische dwerghamster kunnen hamstervrouwtjes hun soortgenoten slecht verdragen, maar dat heeft in het algemeen geen negatieve effecten op het contact met mensen. Normaal gesproken is het niet raadzaam mannetjes en vrouwtjes bij elkaar te houden, want hamsters kunnen elke drie weken jongen krijgen. Al op een leeftijd van drie tot vier weken kan het geslacht worden bepaald. Zo liggen bij mannetjes de geslachtsopeningen en de anus wat verder uit elkaar; bovendien zijn bij hen al kleine testikels te zien, terwijl bij vrouwtjes twee rijen tepels zichtbaar zijn.

Let op bij de aanschaf

Een hamster kun je het beste 's avonds kopen. Bij dieren die uit hun slaap worden gehaald, laten hun gezondheidstoestand en karakter zich slecht beoordelen. Vraag om een koopcontract dat garandeert dat de hamsters gezond zijn en dat de jongen van een eventueel drachtig vrouwtje worden teruggenomen. De aangeboden dieren moeten er verzorgd uitzien en in goed ingerichte kooien worden gehouden. Bovendien moeten de verkopers of fokkers veel over hun dieren weten. Stel vragen en koop nooit een dier uit medelijden! Op die manier leert een handelaar het nooit en is de volgende generatie hamsters hetzelfde lot beschoren.

Nog een beetje sceptisch, maar in elk geval al geïnteresseerd.

CHECKLIST

Hamsters kopen

- ✔ Worden de mannetjes en de vrouwtjes gescheiden van elkaar gehouden? Anders zouden de vrouwtjes drachtig kunnen zijn.
- ✔ Hoe oud zijn de hamsters? Vijf tot zes weken is een ideale leeftijd – eerder mogen ze nog niet bij hun moeder worden weggehaald.
- ✔ Is de hamster ('s avonds) levendig, maar niet druk?
- ✔ Zijn ogen en neus niet rood, verkleefd, nat of ontstoken?
- ✔ Is het gebied rond de anus schoon? Hamsters met onbehandelde diarree hebben meestal geen hoge levensverwachting.
- ✔ Zijn alle andere hamsters in de kooi ook gezond?

Het juiste hamsterverblijf

Hamsters hebben een enorme bewegingsdrang. In de natuur leggen alle soorten elke nacht verscheidene kilometers af. Voor de kooi geldt dan ook: hoe groter, hoe beter. De minimumafmetingen zijn 60 x 40 x 40 cm voor een enkel dier; een groep heeft aanzienlijk meer ruimte nodig. Je kunt kiezen tussen een traliekooi of een terrarium of aquarium.

Hamsters hebben veel beweging nodig om fit en gezond te blijven.

Traliekooi

Traliekooien hebben het grote voordeel dat het hamsterverblijf steeds goed is geventileerd en dat contact heel gemakkelijk te leggen is. Bovendien klauteren hamsters graag in de tralies op en neer. Let er wel op dat de ruimte tussen de spijlen bij goudhamsters nooit groter is dan 10 mm en bij dwerghamsters niet groter dan 5 mm, omdat de dieren anders kunnen ontsnappen. Bovendien mogen de tralies niet voorzien zijn van een laagje plastic, omdat dat niet lang bestand is tegen vlijtig knagende hamstertanden en het blootgelegde metaal dan begint te roesten.

De kooi moet een diepe onderbak hebben, zodat de hamster in het strooisel kan wroeten. Bovendien moet hij – afhankelijk van de hoogte van de kooi – een of meer niveaus hebben. Het mogen geen tralieroosters zijn, omdat deze een voortdurend risico op verwondingen geven. Bij de dierenwinkel weten ze er alles van. Vraag om advies en let vooral op de kwaliteit.

Aquarium of terrarium?

Aquaria en terraria zijn zeer geschikt voor dwerghamsters, want de dieren kunnen er niet uit ontsnappen, ze zijn beschermd tegen tocht en het strooisel kan er niet uit. Het

TIPP

De juiste standplaats

- Het hamsterverblijf moet op een zo rustig mogelijke plaats staan. Lawaai maakt hamsters schuw.
- Zet het hamsterverblijf op ooghoogte tegen een muur. Zo kun je het dier goed zien en voelt het zich toch zeker.
- Kooien mogen niet in de zon, maar ook niet op een tochtige plek staan.
- Hamsters zijn 's nachts actief, zodat ze op een slaap- of kinderkamer vaak voor te veel onrust zorgen.

Traliekooi of aquarium – het juiste formaat van het hamsterverblijf is belangrijk, niet in het minst om er klauter- en speeltoestellen in te kunnen onderbrengen.

nadeel is echter de slechte ventilatie van het verblijf. Kies daarom in geen geval voor een hoge bak. De vuistregel is: niet hoger dan diep. En omdat een aquarium geen tralies heeft om langs te klauteren, moet de bak groter zijn dan een kooi, zodat er klautermateriaal in aangebracht kan worden. Gebruik geen glasplaat om het verblijf af te dekken, maar neem een deksel van tralies voor de ventilatie dat voorkomt dat ontsnappingskunstenaars succes hebben. Zelfs dwerghamsters klauteren gemakkelijk over speeltoestellen heen het aquarium uit en alle hamsters kunnen verbazend goed springen.

De trend: een tweede kooi

Het is raadzaam om behalve de eigenlijke behuizing een tweede, kleinere kooi voor de dieren te hebben. Hij kan dienen voor transport naar de dierenarts of een verzorgingsadres. Bovendien kan de hamster erin je zijn eigenlijke kooi moet schoonmaken. Als je een groep dwerghamsters houdt, is een tweede kooi praktisch voor het geval het een keer tot een flinke bijtpartij komt. Bij zulke ruzies moeten de dieren meteen van elkaar worden gescheiden.

Basisinrichting van de kooi

In elk hamsterverblijf horen beslist strooisel, nestmateriaal, zand en een of meer slaaphuisjes, een niet te lichte voerbak en een waterflesje. Bijzonderheden over tredmolentjes en geschikt speelgoed staan op blz. 52-54.

> *Wie zei daar 'slaapkop'? Mag je nu ook al geen siësta meer houden?*

Strooisel

Hamsters hebben gevoelige luchtwegen en daarom is goed strooisel belangrijk. Behalve zaagsel bestaat er inmiddels ook strooisel op basis van maïsbladeren of papier en speciaal stofvrij gefabriceerd zaagsel, dat zeer aan te bevelen is. Wees royaal met het strooisel. In een laag van ongeveer 10 cm kunnen ze prachtige tunnels graven!

Slaaphuisjes

Hamsters hebben holletjes nodig om in te slapen en hun voorraden in te hamsteren. Als je hamsters in een groep houdt, heb je evenveel huisjes of schuilplaatsen nodig als hamsters, zodat ze elkaar uit de weg kunnen gaan. Maar ook een hamster die in zijn eentje worden gehouden, verhuist graag een keer. Kies de huisjes niet te klein. Ruime houten of aardewerken huisjes, maar ook nestkastjes voor vogels bieden zoveel ruimte, dat zelfs de voorraadkamer er nog bij in past. Als alternatief

Heb ik aan alles gedacht?

- ✔ Staat een traliekooi of een aquarium met stofvrij, ongeparfumeerd strooisel klaar?
- ✔ Staat het verblijf op een vaste, tegen tocht beschermde plaats?
- ✔ Heeft elke hamster zijn eigen houten of aardewerken slaaphuisje?
- ✔ Hangen er – al naar gelang de grootte van de kooi – een of meer waterflessen in de kooi?
- ✔ Zijn er bakjes voor de verschillende soorten voer?
- ✔ Zijn er klauterniveaus in het verblijf gemaakt?
- ✔ Hebben de dieren genoeg geschikt nestmateriaal tot hun beschikking, zoals onbedrukt keukenpapier?
- ✔ Is er een zandschaal of hamstertoilet voor zandbaden en als toilet?
- ✔ Is er speelmateriaal om te verkennen, te klauteren en uit te razen?
- ✔ Staat er voldoende geschikt voer klaar?
- ✔ Is er een kleine transportkooi om de hamster naar zijn nieuwe thuis te kunnen brengen zonder dat hij ontsnapt?

1 Voerbak

Niet al het voer zal in de voerbak belanden, maar het is handig om er een te hebben, bijvoorbeeld voor 'nat' voer zoals yoghurt of bij de aanschaf van een nieuwe hamster, waarbij u wilt controleren of en hoeveel hij heeft gegeten. Koop een zware, keramische bak die niet zo gemakkelijk omkiept.

2 Zandschaal

Voor hamsters zijn toilethuisjes te koop, die met schoon, stofvrij zand worden gevuld. Aardewerken bloempotschalen zijn een prima alternatief. De hamsters gebruiken de schalen voor zandbaden en als toilet. Zo kunt u deze plekken gemakkelijk schoonmaken zonder elke keer de hele kooi onderhanden te hoeven nemen.

voor huisjes die in de winkel te koop zijn, kunnen omgekeerde aardewerken potten waarin een gat is gemaakt worden gebruikt. Vergeet niet de scherpe randen zorgvuldig met schuurpapier glad te schuren. Minder geschikt zijn plastic huisjes, omdat afgeknaagde en ingeslikte stukjes plastic ernstige inwendige verwondingen kunnen veroorzaken. Bovendien bezeren de dieren zich vaak aan de scherpe randen en hoeken die door het knagen ontstaan.

Nestmateriaal

Hooi is goed nestmateriaal waarvan de hamsters ook graag een beetje eten. Snippers toilet- of keukenpapier, dat beslist onbedrukt moet zijn, hebben eveneens hun waarde bewezen. Gebruik geen onverteerbare hamsterwatten, omdat het inslikken van dit materiaal tot een gevaarlijke darmafsluiting kan leiden. Bovendien kunnen de lange katoendraden pootjes afsnoeren.

Drinkflesje

Hamsters die altijd voldoende water tot hun beschikking hebben, zijn doorgaans gezonder dan dieren die daaraan gebrek hebben. Heel geschikt zijn de met een kleine, stalen kogel afgesloten nippelflessen (verkrijgbaar in dierenspeciaalzaken), want de gewone waterbakjes worden veel te snel vies in een met strooisel gevulde kooi.

Aankoop en uitrusting

? Mag ik hamsters kopen die via de post worden aangeboden?
Dat moet je nooit doen, want je weet niets van het dier dat je krijgt. Bovendien levert de verzending zoveel stress op voor de dieren, dat het pure dierenmishandeling is.

? Mijn kind wil beslist een hamster hebben. Wat kan ik doen?
Bedenk dat de volwassene in het gezin uiteindelijk de verantwoordelijkheid voor de hamster draagt, dus je moet het zelf ook leuk vinden om een hamster in huis te hebben. Betrek kinderen bij de verzorging door ze taken te geven die bij hun leeftijd passen. Ga mee om de hamster te kopen, want aan kinderen onder de zestien jaar mogen volgens de wet geen gewervelde dieren worden verkocht. Elke dierenspeciaalzaak is verplicht dieren terug te nemen die zonder toestemming van de ouders werden gekocht. Kies een goudhamster of een Chinese dwerghamster, want die is het beste door kinderen te hanteren.

? Mijn hamster krijgt tranende ogen en maakt een matte, uitgeputte indruk. Wat moet ik doen?
Heb je net nieuw strooisel of een ander nestmateriaal, haal dat dan snel uit het verblijf. Het kan zijn dat het stoffen bevat waarop de hamster allergisch reageert (zie blz. 45).

? Mijn hamster knaagt vrijwel voortdurend aan de tralies. Kan ik hier iets tegen doen?
Zulk stereotiep gedrag is vaak het gevolg van verveling. Dan zijn de bezigheidstips uit hoofdstuk 4 heel belangrijk. Als dat niet helpt, is het misschien een idee om een aquarium te kopen – dat heeft geen tralies.

Russische dwerghamsters maken het zich graag gezellig samen.

Wat kan ik doen als mijn hamster ondanks alle pogingen hem tam te maken schuw blijft en zelden te voorschijn komt?
Staat de kooi misschien op een te lichte of lawaaierige plaats, bijvoorbeeld naast een lamp, de televisie of een luidspreker of in het looppad? Een rustiger plek doet vaak wonderen. Ook helpt het om het verblijf aan drie kanten met pakpakier of hout af te dekken.

Ik heb bij kennissen een kooi met niveaus van traliewerk gezien. Is die geschikt om er hamsters in te houden?
De meeste hamsters voelen zich niet prettig zo'n kooi. Bovendien kunnen de dieren gemakkelijk met hun pootjes tussen de tralies komen en zich verwonden. Dek daarom de platforms met houtplaten af, die eerst met een niet-giftige lak zijn geschilderd of vervang de roosters door houtplaten. Let erop dat de platforms elkaar overlappen, zodat een hamster nooit meer dan een verdieping kan vallen. Een opstaande rand voorkomt dat strooisel of andere toebehoren naar beneden vallen.

Mijn hamster slaapt in het strooisel, in de tredmolen of in een wc-rolletje, maar niet in het huisje. Moet ik me daar zorgen over maken?
Nee. Zulk gedrag is normaal en verandert ook altijd weer. In het algemeen zal een hamster zijn huisje eerder accepteren als de mensen er niet direct in kunnen kijken en het erbinnen donker is. Net als wilde hamsters houden 'huishamsters' ook van 'gebouwen' met verschillende in- en uitgangen. Er zou immers altijd iemand langs kunnen komen die wel trek heeft in een hamstertje!

De zandschalen in mijn hamsterkooi ruiken sterk naar urine. Is daar iets aan te doen?
De vaak zeer hardnekkige geur kun je bestrijden door de schaal een nacht in azijnwater te leggen en hem daarna zorgvuldig af te schrobben.

VRAGEN & ANTWOORDEN

Monika Lange

Een fijn thuis voor hamsters

- Bedenk bij het kopen van een hamsterverblijf dat grote kooien minder vaak schoongemaakt hoeven te worden.
- Zaagsel is vaak te los om er tunnels in te graven. Los dit probleem op door er ongeveer een vingerlang gesneden hooi door te mengen.
- Sommige hamsters moeten eerst leren nesten te bouwen. Deze dieren kunt u in het begin met een kant-en-klaarnest helpen.
- Hamsters in 'modekleuren' worden vaak in grote hoeveelheden gefokt om aan de vraag te voldoen. Het gevolg is meestal doorgefokte, ziektegevoelige dieren.
- Hamsters mogen in geen geval worden gewassen. Ze houden hun vacht zelf schoon. Baden kan tot dodelijke onderkoeling leiden.

Kennismaking

Aankomst in het nieuwe thuis

Voor mensen is het geweldig om de nieuwe hamster eindelijk in zijn liefdevol ingerichte verblijf te zien zitten, maar voor het angstige dier betekenen vervoer en verhuizing heel veel stress en onrust.

Waar ben ik?

Gun de nieuwe huisgenoot eerst een paar dagen rust, hoe moeilijk dat ook is. Hamsters die geen kans hebben om goed te wennen, reageren vaak angstig of zelfs agressief op pogingen om hen tam te maken. Hoelang hij rust nodig heeft, hangt van het temperament van de hamster af. Soms zijn twee nachten voldoende, maar het kan ook langer dan een week duren. Overhaast niets; geduld is een schone zaak.
Zorg in deze tijd bovendien voor zoveel mogelijk rust in de omgeving van het dier. Als de kamer waarin de hamster leeft ook 's nachts in gebruik is, dek je de kooi met luchtdoorlatend materiaal af, bijvoorbeeld met een doek. Onder de bescherming van die doek kan de hamster de kooi dan in alle rust verkennen.

Ook bij hamsters gaat de liefde door de maag – vooral als je ze met lekkere peterselie verleidt.

Rustig wennen

Nader de kooi voorzichtig en praat ondertussen rustig tegen het dier, zodat het leert dat je bij de nieuwe omgeving hoort. Begin nu al met het avondritueel van voeren en verzorgen.

- Open de kooi voorzichtig, zodat het dier je in zijn paniek niet ontglipt.
- Verwijder het in de voerbak gevallen strooisel.
- Vul de voerbak bij en verspreid wat lekkere hapjes in de kooi.
- Controleer de waterfles en leg een bijzonder lekker hapje voor het slaaphuisje of daar waar de hamster zich heeft verstopt.
- Praat voortdurend met een rustige stem tegen het dier.

De nieuwe huisgenoot moet aan deze dagelijkse gang van zaken wennen en als hij daarna voer en lekkere hapjes in zijn behuizing vindt, zal het in de toekomst voor hem een teken zijn om op te staan. Na twee tot drie dagen kun je bij deze gelegenheid ook de plashoek schoonmaken; de controle van de voorraden in het huisje en een grondige schoonmaakbeurt van de kooi vinden pas plaats als de hamster echt gewend is. Nu neemt hij echter eerst zijn kooi als zijn nieuwe territorium in bezit en zet daarbij voor ons niet-waarneembare geurmarkeringen af, die bij het schoonmaken van de behuizing meteen worden vernietigd. Als de plashoek regelmatig wordt schoongemaakt, blijft de ook voor de menselijke neus vaak waarneembare urinegeur binnen de perken tot de volgende schoonmaakbeurt.

Elkaar leren kennen

1

Nader de kooi langzaam en praat ondertussen rustig tegen het dier. Neem de tijd om kennis te maken, zodat de hamster aan je kan wennen.

Voedsel aanbieden

2

Voedsel betekent een vredesaanbod en omkoping tegelijk. De hamster verbindt je hand met een positieve ervaring. Blijf rustig en trek je hand niet meteen weg als de hamster eraan snuffelt en er onderzoekend aan knabbelt.

Op de hand nemen

3

Zonder dat het de hamster opvalt, is hij plotseling op je hand geklauterd. Hij leert je geur kennen en hij leert je vertrouwen. Zorg ervoor dat hij niet van je hand kan afspringen.

Aaien

4

Hamsters worden graag over hun flanken geaaid. Maak hier gebruik van en wen de dieren zo aan je aanraking. Het is belangrijk dat je daarbij rustig blijft en je langzaam beweegt.

Het begin van een nieuwe vriendschap

Vliegt het strooisel door de lucht en maakt de hamster sprongen van schrik wanneer hij in paniek zijn schuilplaats in vlucht? Laat hem dan nog even met rust. Het juiste moment voor de eerste toenaderingspogingen is pas aangebroken als het dier meteen na het avondlijke verzorgingsritueel te voorschijn komt of zelfs nieuwsgierig naar de tralies toe komt als je zachtjes tegen hem praat.

Belangrijke omgangsregels

Hamsters herkennen andere wezens aan hun geur (zie blz. 24). Daarom moet je je afvragen hoe je handen ruiken – misschien naar parfum, zeep of pizza? Dan lukt het de hamster niet je lichaamsgeur te herkennen. Je kunt het beste je handen wassen met gewoon, schoon water voordat je naar de hamster toegaat. Bovendien reageren onze 'huishamsters' net als hun wilde voorouders, die steeds alert moesten zijn op roofvogels, instinctief met een afweerreactie en vlucht op alles wat plotseling van boven komt, of het nu een roofvogel of een mens is. Loop daarom altijd langzaam naar het verblijf toe en houd je hand steeds op hamsterhoogte.
Wie hamsters overdag uit hun veilige holletje haalt, kan niets goeds in de zin hebben. Opgewekt en vriendelijk zijn hamsters enkel tijdens hun natuurlijke wakkere perioden. Probeer dus 's avonds contact te leggen. Probeer vertrouwd te raken met de lichaamstaal van hamsters (zie blz. 26-27) voordat je probeert het dier tam te maken. Een hamster laat bijvoorbeeld door zijn lichaamshouding zien dat hij bang is. Zo weet je dat je te vroeg was. Een afweerreactie kan snel in agressie omslaan. Bedenk dat hamsterbeten heel pijnlijk kunnen zijn.

Zorg ervoor dat de hamster zijn voer in de kooi kan vinden.

TIPS

Het vervoer naar huis

- Het nieuwe hamsterverblijf moet ingericht zijn wanneer je het dier koopt.
- De avond is het beste tijdstip om een hamster te vervoeren.
- Een transportkooi waaruit de hamster niet kan ontsnappen, voorkomt stress in de auto. Een kartonnen doosje is slechts een paar minuten bestand tegen de tanden van goudhamsters.
- Bescherm de hamster tijdens het vervoer altijd tegen warmte, kou en wind.

Hamsters zijn individualisten

Als de hamster al tam is, kun je hem op je hand laten lopen en optillen. Leg daarbij voorzichtig je andere hand over hem heen, opdat hij niet plotseling van je hand af springt en zich bezeert. Deze voorzorgsmaatregel is vooral belangrijk bij de beweeglijke Russische en Roborovski dwerghamster. De koddige Chinese dwerghamster klemt zich vaak aan je hand vast. Hij zal dus niet zo snel vallen. Het kan echter ook voorkomen dat een hamster gewoon niet op je hand wil klauteren, welk trucje of foefje je uit de kast haalt – hamsters zijn echte individualisten. Als je zo'n dier uit zijn verblijf moet halen, moet je in elk geval wachten tot hij vanuit de vrije ruimte van zijn kooi een wc-rolletje inloopt, dat je dan aan beide kanten dichthoudt.

Bied je levenslustige hamster veel zintuiglijke prikkels – ook voor zijn neus.

Aaipauze

De meeste hamsters hebben er na een tijdje genoeg van geaaid te worden en dat laten ze meestal duidelijk merken met een zachte beet. Daarmee willen ze laten weten: 'Nu vind ik het genoeg! Ik wil weer naar beneden!' Wees voorbereid op deze uiting van wrevel en gooi de hamster niet van schrik van je af. Hij zou ernstig gewond kunnen raken. Wijs bezoekers, die het dier willen vasthouden, voorzichtigheidshalve op dit 'gevaar' om ongelukken te voorkomen.

Wat hamsters allemaal kunnen

De zintuigen van de hamster zijn gespecialiseerd in datgene, wat in hun wereld belangrijk is om te kunnen overleven: de geur van voedsel of het tijdig ontdekken van een roofvogel of andere vijanden.

> *Klauteren is geweldig – wat zou er boven zijn?*

Zien

Hamsters hebben kenmerkende grote ogen. Alle dieren die 's nachts actief zijn hebben die. Ze zitten aan weerskanten van de kop en puilen een beetje uit. Daardoor hebben de dieren een goed zicht naar alle kanten, en kunnen ze vijanden tijdig zien. Op korte afstand zien hamsters echter niet zo scherp als wij. Daarom reageren ze vaak ook zo schrikkerig als iemand plotseling en stilletjes in hun blikveld verschijnt. Hamsterogen zijn bijzonder goed aan zwak licht aangepast, omdat de dieren hoofdzakelijk in de ochtend- en avondschemering actief zijn. Zo zien ze bijvoorbeeld contouren en grijstinten, maar geen kleuren. Dat is voor hen echter ook niet belangrijk. 's Nachts zijn tenslotte alle hamsters grijs. Bij het zoeken naar voedsel, maar ook in het contact met soortgenoten verlaten hamsters zich vooral op hun andere zintuigen.

Ruiken

Hamsters hebben een zeer goede reukzin; met behulp daarvan zoeken ze ook hun voedsel. Hun neus speelt ook een belangrijke rol bij een goede verstandhouding tussen soortgenoten. Aan de geur herkennen hamsters andere hamsters en hun geslacht. Bovendien communiceren ze via geurstoffen, zoals een paringsbereid vrouwtje doet als ze loksporen rond haar hol aanbrengt. Alle ham-

TIPS

Stimulering van de zintuigen

- ➤ Breng zo nu en dan kleine veranderingen aan in de inrichting van de kooi. De hamsters, die hun territorium elke nacht controleren, merken de veranderingen met hun fijne neus op en worden zo gestimuleerd de zaak verder te onderzoeken. Dat is goed tegen verveling.
- ➤ Om je handen een vertrouwde geur te geven, kun je wat strooisel tussen je vingers wrijven voordat je het dier in de kooi benadert. Dat helpt vaak de angst voor die enorme berg mens te verminderen.

sters hebben geurklieren aan hun kop, onder hun buik en aan hun geslachtsopeningen; goudhamsters en Chinese dwerghamsters hebben ze ook aan hun flanken. Hoofdzakelijk om soortgenoten op afstand te houden, maar ook om zich te oriënteren, markeren de dieren hun territorium met afscheidingsproducten uit deze klieren, die voor ons weliswaar niet te ruiken, maar soms wel op gladde oppervlakken duidelijk te zien zijn. Daarom zijn ze nogal opgewonden als u ze in een schoongemaakte kooi zet: daar ontbreken plotseling alle geurmarkeringen, zodat ze hun territorium weer opnieuw moeten 'veroveren'.

Tasten

Voor 's nachts actieve dieren die in onderaardse gangen leven, is de tastzin erg belangrijk. Daarom hebben hamsters rondom hun snuit, boven hun ogen en op hun flanken lange tastharen, met behulp waarvan ze bliksemsnel de grootte van een opening kunnen aftasten, maar ook bewegingen in de directe omgeving kunnen waarnemen – zelfs als het pikdonker is.

> *Naar beneden is gemakkelijker dan naar boven – dat is leuk!*

Horen

Hamsters hebben oren in de vorm van een puntzak, die ze kunnen openzetten, dichtklappen en als een radar in alle richtingen kunnen draaien. Hiermee horen ze het zachte ritselen van een lekkere kever, maar ook het sluipend naderen van een vos. Zelfs ultrasone geluiden kunnen hamsters hoogstwaarschijnlijk horen, want jongen maken zulke geluiden als ze van hun moeder worden gescheiden.

CHECKLIST

Hamsters voelen anders

- ✔ Moet de hamster in fel licht zitten als hij in de kooi, in de uitloop of op je hand zit? Dat maakt hem zo goed als blind en hij wordt onzeker en angstig. Hij heeft het liever donker.
- ✔ Heeft de hamster gemerkt dat je eraan komt? Praat tegen hem terwijl je dichterbij komt, anders schrikt hij.
- ✔ Heb je je laten herkennen? Hamsters identificeren zowel soortgenoten als mensen aan de geur. Houd hem daarom je hand voor om eraan te snuffelen, zodat hij weet wie hij voor zich heeft.

Gedragsgids

Hamster

Ken je de hamstertaal? Hier lees je wat een hamster met zijn gedrag wil vertellen en hoe je er goed op reageert.

> Hamsters stoppen hun wangzakken vaak zo vol, dat ze om hun schouders spannen.

? Ze legen hun wangzakken door er met hun voorpoten overheen te wrijven.

→ Als ze gestoord worden, spugen ze hun voorraadje voer soms plotseling uit.

> Bij een ontmoeting besnuffelen hamsters elkaar.

? Aan de kop en de geslachtsorganen zitten klieren, die geurstoffen afscheiden waaraan de dieren elkaar herkennen.

→ Je kunt je tamme hamster ter begroeting over zijn rug aaien.

De hamster knaagt aan zijn slaaphuisje en andere voorwerpen.
? Het dier zorgt ervoor dat zijn tanden afslijten.
→ Bied het dier geschikte takjes of ander knaagmateriaal aan.

De hamster houdt zijn neus in de lucht, waarbij zijn voorpoten ontspannen naar beneden hangen.
? Het dier onderzoekt de geuren en geluiden in de omgeving.
→ Geef je hamster de gelegenheid je geur en je stem te herkennen als je naar hem toekomt.

De hamster klautert veel.
? Hamsters hebben graag een beter overzicht vanuit een hoge positie.
→ Zorg voor klautermogelijkheden in het hamsterverblijf.

De hamster woelt zich vaak onder het strooisel, hoewel hij een slaaphuisje heeft.
? Het dier bevredigt zo zijn woeldrang.
→ Zorg voor een dikke laag strooisel (ongeveer 10 cm).

Jonge hamsters

Hamstervrouwtjes zijn om de vier dagen paringsbereid! Alleen dan dulden ze een mannetje in hun omgeving; anders wordt hij verdreven. Aangezien vrouwtjes zich niet geremd voelen om een mannetje te bijten, kan dat in een kooi slecht aflopen.

Jonge hamsters onderzoeken hun omgeving in het begin heel voorzichtig.

De paring

Het mannetje herkent een paringsbereid vrouwtje aan haar geur. Het vrouwtje blijft met gestrekte rug en opgeheven staart zitten, terwijl het mannetje haar meermalen dekt. De mannetjes van goudhamsters en Chinese dwerghamsters trekken zich daarna in hun eigen territorium terug, maar bij andere dwerghamsters blijven de mannetjes bij de vrouwtjes en helpen ze zelfs bij de geboorte en het grootbrengen van de jongen. In gevangenschap worden de vaders echter vaak verdreven zodra de jongen zijn geboren.

Hamsterbaby's op komst

Vaak is aan een plompere lichaamsvorm en het feit dat ze een uitgebreider nest bouwt, te zien dat een vrouwtje drachtig is. De draagtijd van goudhamsters is met zestien dagen extreem kort; bij dwerghamsters bedraagt hij ongeveer drie weken.
Kort voor de geboorte wordt het vrouwtje onrustig en ten slotte trekt ze zich in haar nest terug. De geboorte vindt meestal vroeg in de ochtend plaats, waarbij de moeder haar jongen actief ter wereld helpt. Bij de verzorging van een hamstergezin is het volgende belangrijk.

- Hamstermoeders hebben bij de geboorte geen hulp van mensen nodig.
- Stoor de moeder zo min mogelijk en voel niet in het nest.

TIPS

Dracht en grootbrengen van de jongen

- Het is verstandig drachtige vrouwtjes in een eenvoudig plastic terrarium te houden, zodat de jongen niet door de tralies kunnen glippen.
- Geef tijdens de dracht royale hoeveelheden eiwitrijk voer (zie blz. 36).
- De moeder moet bij de waterfles kunnen, maar de jongen krijgen wortel of komkommer om diarree te vermijden. Ze krijgen op die manier genoeg vocht binnen.

Fruitdag: jonge hamsters imiteren onder andere het eetgedrag van hun moeder en leren zo wat lekker is. Geef je hamsters echter fruit met mate!

➤ Maak ongeveer twee weken lang alleen de plashoek schoon.

➤ Voer royaal.

Goudhamsters krijgen ongeveer vijf tot negen jongen, dwerghamsters twee tot tien. De kleinste worpen komen voor bij Roborovski dwerghamsters.

Hamsterjeugd

De jongen, die bij alle hamstersoorten naakt, doof en blind ter wereld komen, zijn in hun eerste levensdagen op een warm nest aangewezen. Ze dringen altijd daarheen waar het het behaaglijkst is, dus midden in het hoopje broertjes en zusjes.
Na een paar dagen gaan de oogjes en oortjes open en beginnen de kleintjes rond te scharrelen. Weglopers haalt de moeder terug in het nest. Af en toe verhuist ze met haar jongen naar een ander nest. Al na een paar dagen beginnen de jongen behalve moedermelk ook vast voedsel te eten. Ze beginnen hun omgeving te verkennen, houden speelse gevechten met hun broertjes en zusjes en springen overmoedig in het rond. Na drie weken – bij Roborovski dwerghamsters duurt het iets langer – zijn de jongen zelfstandig. In de natuur zullen ze nu al snel een eigen territorium zoeken en ook in de kooi bekommert de moeder zich niet meer om haar jongen. Ze probeert hen zelfs uit haar buurt te verdrijven.

Jongen en gedrag

Ik heb een al tamme hamster gekocht. Hoe moet ik met hem omgaan?
Ook zo'n dier heeft tijd nodig om zich aan de nieuwe omstandigheden te wennen. In het algemeen aai je een tamme hamster zo mogelijk dagelijks een keer kort of til je hem op, zodat het contact niet wordt verbroken.

Wat kan ik doen wanneer mijn hamster niet tam wil worden?
Het belangrijkste is om nooit je geduld te verliezen en het telkens te proberen. Er zijn echter hamsters die nooit echt contact krijgen met mensen. Daar valt niets aan te doen.

Hoe ga ik op de juiste manier met een groep hamsters om?
Het wennen en tam maken verloopt net als bij een hamster die in zijn eentje wordt gehouden. Bereid je erop voor dat de interesse voor een mens nooit zo groot zal zijn als bij een solitair levend dier. Ook worden niet alle leden van de groep even tam.

Ik hoor mijn hamsters soms behoorlijk hard piepen. Is er iets niet in orde?
Hamsters kunnen een reeks verschillende geluiden maken. Kenmerkend is bijvoorbeeld het in zichzelf brommen – ook wanneer ze alleen zijn. Bij een ontmoeting met andere hamsters zijn de voor ons hoorbare geluiden meestal waarschuwingen, bijvoorbeeld tandenknarsen. Luid gepiep hoort u vooral wanneer de dieren erg bang zijn of wanneer ze in een gevecht verwikkeld zijn. Onderzoek uw dieren in zo'n geval op bijtwonden (zie hoofdstuk 3). Als de gevechten niet ophouden, de wonden ernstiger worden en de hamsters zelfs zichtbaar gewicht verliezen, moeten ze in elk geval van elkaar worden gescheiden.

Bij schuwe hamsters is extra geduld nodig om de dieren te laten wennen.

? Mijn hamster krimpt vaak ineen als ik hem met mijn hand nader. Hoe kan ik hem op de juiste manier benaderen?
Praat tegen hem wanneer je in zijn gezichtsveld komt en beweeg een beetje met je vingers, zodat ook een bijziende hamster je opmerkt.

? Ik heb mijn hamster ondanks alle goede raad door de kooi gejaagd om hem te pakken. Wat moet ik nu doen?
Zorg ervoor dat de situatie niet als een slechte herinnering blijft hangen. Geef de hamster de gelegenheid op je hand tot rust te komen en ook een lekker hapje bij wijze van verontschuldiging kan geen kwaad.

? Waarom loopt mijn hamster telkens maar langs de zijkanten van zijn kooi?
Hamsters oriënteren zich niet zozeer met hun ogen, maar volgen liever randen en voorwerpen of hun geurpaadjes, omdat ze zich op die manier zekerder voelen. In het wild levende hamsters staan tenslotte op het menu van vele roofdieren. Je kunt hamsters aanmoedigen de kooi te verkennen door er takjes, wc-rolletjes of speelgoed in te leggen (zie blz. 50-51).

? Mijn hamstervrouwtje heeft haar jongen opgegeten. Heb ik iets verkeerd gedaan?
Kannibalisme komt bij alle hamstersoorten voor – ook in de vrije natuur. Zo eten de vrouwtjes zieke of doodgeboren jongen op of verkleinen ze te grote worpen. Toch reageren sommige dieren ook op verstoring met kannibalisme. Laat het nest de eerste twee weken daarom helemaal met rust. Geef in deze tijd veel eiwitrijk voer, bijvoorbeeld hardgekookt ei of meelwormen; bovendien heeft het vrouwtje steeds vers water nodig. Bij de Roborovski en de Russische dwerghamster heeft de hulp van de vader bij het grootbrengen van de jongen een positieve uitwerking. Niet alle vrouwtjes laten dat echter toe.

VRAGEN & ANTWOORDEN

Monika Lange

Zo hamster je vertrouwen

- De hamster zal je sneller vertrouwen als je hem niet elke keer pakt zodra hij zich buiten het huisje vertoont.
- Laat de hamster eventueel van boven op je hand klauteren. Sommige dieren vinden dat veiliger.
- Laat je hamster na wat bewegingsvrijheid eens in een plooi van een trui slapen. Het lichaamscontact zorgt voor een nauwere band tussen jou en je hamster.
- Laat bij het schoonmaken van de kooi wat oud strooisel in de kooi liggen, zodat de omgeving toch vertrouwd ruikt.
- Hamsters houden van rust. Familie en vrienden zullen het best begrijpen dat ze een paar dagen moeten wachten voor ze kunnen kennismaken met je nieuwe huisgenoot.

Fit en gezond

Het juiste voer

De juiste voeding is de belangrijkste voorzorgsmaatregel om de gezondheid van een hamster te waarborgen. Bied dan ook zo evenwichtig en afwisselend mogelijk voedsel aan om hem fit te houden.

De hamstermaag

De maag van een hamster bestaat uit twee kamers en doet een beetje denken aan die van een koe. Deze aanpassing maakt de vertering van plantendelen mogelijk, die voor ons geen voedingswaarde hebben. Daarom is niet alles wat voor mensen goed is, ook gezond voor hamsters: de gespecialiseerde vertering van de dieren kan door menselijke voedingsmiddelen gemakkelijk verstoord raken. Maar er zijn nog genoeg lekkere hapjes waarmee je een hamster mag verwennen.

Knapperig en gezond: groenvoer voorziet de hamster van vocht.

Zaden

Het hoofdvoedsel van in het wild levende hamsters zijn zaden en ook onze huisdieren hebben dagelijks hun droogvoer nodig. De meeste verkrijgbare soorten hamstervoer bevatten echter te veel vetrijke noten en zonnebloempitten, die in deze grote hoeveelheden schadelijk zijn. Bovendien bevat het voer te veel bestanddelen die de hamsters helemaal niet eten en te weinig kleine zaden. Daarom is het beter het voer zelf te mengen. Gebruik hiervoor veel verschillende graansoorten (zie tabel op blz. 35) en voeg parkietenvoer toe. Bij goudhamsters moet het mengsel voor ongeveer eenvierde tot eenderde uit parkietenvoer bestaan; bij dwerghamsters voor ongeveer de helft. Om spijsverteringsstoornissen te voorkomen, is het beter hamsters langzaam aan nieuw voer te laten wennen. Enige voorzichtigheid is bovendien geboden bij puntige granen, waaraan de dieren hun wangzakken kunnen verwonden. Als je het grootste deel van het voer over het strooisel verdeelt, kan de hamster natuurlijke activiteit ontplooien.

Vetrijk voer

Hamsters houden van vetrijke noten en granen, waarvan ze echter gemakkelijk te dik worden. De gevolgen zijn beschadiging van de lever, diabetes en andere gezondheidsproblemen, evenals een kortere levensverwachting. Noten en zonnebloempitten bevatten echter ook veel vitamine E en andere belangrijke voedingsstoffen. Daarom: noten zijn prima, maar geef er niet te veel van.

Sla en meer

Uit groenvoer haalt de hamster zijn vitaminen en mineralen, maar ook vocht. Was of schil groente en fruit om bestrijdingsmiddelen te verwijderen of neem onbespoten biologische groenten. Voor het groenvoer in de kooi wordt gelegd, moet het droog zijn zodat de dieren geen diarree krijgen.

Voor een lekker hapje doen hamsters bijna alles. Maar ook voor deze kleine knaagdieren geldt: te veel is ongezond.

Voedselprogramma

Droogvoer: dagelijks	➢ Een volle eetlepel (goudhamsters), nauwelijks de helft voor dwerghamsters ➢ Mengen: tarwe, gerst, rijst, gedroogde maïs en/of polenta, gerst, boekweit, meergranenvlokken, geperste korrels (worden door veel hamsters afgewezen – proberen), gedroogde linzen, erwten ➢ Elke dag wisselen om te voorkomen dat de hamster alleen zijn favoriete soorten eet en tekenen van gebrek gaat vertonen.
Groenvoer: dagelijks	➢ 1-2 soorten per dag (niet direct uit de koelkast geven) ➢ Appel, banaan, zoete bessen, druiven, meloen, wortel, sla, spinazie, maïs, komkommer, courgette, rode paprika, selderie, erwten, tofu ➢ Paardebloem, bloemen van madeliefjes, muur, verse bladeren van berk, els, beuk of hazelnotenstruik, twijgen, bladeren en bloesemknoppen van fruitbomen
Vetrijk voer: eens per week	➢ Noten, zonnebloem- of pompoenpitten. Bied dit voer echter met mate aan, dus steeds maar een paar pitten per hamster.
Eiwitrijk voer: om de dag eens per week	➢ 1-2 Meelwormen per dier of een even grote hoeveelheid tartaar, een halve theelepel yoghurt of kwark voor goudhamsters, iets minder voor dwerghamsters. ➢ Hondenkoekje of een kwart theelepel visvoer
Om te knagen: altijd aanbieden	➢ Twijgen van berk, els, beuk, hazelnotenstruik of fruitbomen ➢ Ongekookte pasta

Eiwitten

Hamsters zijn geen vegetariërs. In de natuur eten de dieren vooral insecten om in hun eiwitbehoefte te voorzien. Insecten zijn in de dierenspeciaalzaak te koop, zoals huiskrekels en meelwormen. Deze dieren kun je in een lege jampot houden, waarvan de deksel van luchtgaatjes is voorzien. Ze worden gevoerd met havervlokken en stukjes appel. Meelwormen blijven in de koelkast langer goed – dat wil zeggen dat ze zich later verpoppen. Als je deze dieren niet wilt vastpakken, kun je een pincet gebruiken (zwartgekleurde meelwormen zijn dood; deze mag een hamster niet eten). Bij veel hamsters komt de jachtdrang meteen naar boven als ze met insecten worden gevoerd.

In een drinkfles blijft het water altijd schoon.

Natuurlijk zijn er ook alternatieven voor levend voedsel, bijvoorbeeld:

- verse, magere rundertartaar
- magere yoghurt
- kwark.

Harde hondenkoekjes leveren eiwitten en zijn tegelijkertijd goed om aan te knagen. Ze moeten echter uit dierlijke bestanddelen zijn samengesteld (let op de ingrediënten). Siervisvoer is heel goed voor een mooi uiterlijk van de hamster. Het bestaat uit gist, kreeftenvlees en visolie en bevat behalve eiwit verschillende vitaminen die goed voor de vacht en de huid zijn. Het is een kwestie van proberen. Niet elke hamster vindt al het genoemde voer lekker.

Lekkernijen

Met uitzondering van het droogvoer zijn alle hierboven genoemde voedingsmiddelen lekkernijen en geen dagelijkse kost. Andere lekkere hapjes zijn bijvoorbeeld ongezwavelde rozijnen of andere gedroogde vruchten (in heel kleine hoeveelheden, anders kunnen wangzakverklevingen ontstaan). Als je de knabbelstokken in de dierenspeciaalzaak niet kunt weerstaan, kies dan suiker- en vetvrije producten. Vaak zijn knabbelstokken voor vogels het beste. Op de vogelafdeling van de

TIPS

Knaagmateriaal

- Hamsters zijn knaagdieren, die hun tanden regelmatig moeten gebruiken om te voorkomen dat ze te lang worden.
- Behalve hondenkoekjes en ongekookte pasta zijn twijgen van bepaalde loofbomen (zie blz. 35) ook goed knaagmateriaal.
- Borstel de twijgen zorgvuldig met heet water af om vuil en ongedierte zo veel mogelijk te verwijderen.

Verschillende soorten groenvoer moeten regelmatig op het menu van je hamster staan.

dierenspeciaalzaak vind je bovendien trosgierst – voor hamsters een lekkernij en tegelijkertijd een goede bezigheid.

Vitaminen

Als u uw hamster gevarieerd voer geeft, heeft hij geen aanvullende vitaminen nodig. Dat wordt anders met een drachtig vrouwtje of als een dier moet genezen. Zoek dan naar speciale preparaten voor hamsters of knaagdieren.

Water

In de natuur kunnen hamsters zich weliswaar ook zonder water redden, omdat ze met groenvoer en dierlijk voer in hun behoefte aan vocht voorzien. Huishamsters zijn echter gewoon gezonder als ze altijd vers water tot hun beschikking hebben. Gebruik geen te grote drinkflessen, want dan denk je er misschien niet aan het water dagelijks te verversen met als gevolg dat er bacteriën en algen in gaan groeien.

CHECKLIST

Ongeschikt hamstervoer

- ✔ Chocolade en zoetigheid schaden de spijsvertering van de hamster en zorgen dat de wangzakken verkleven, zodat de hamster naar de dierenarts moet.
- ✔ De pitten van kersen, pruimen en andere steenvruchten bevatten een gevaarlijk gif.
- ✔ Naaldbomen of beter gezegd hun hars is schadelijk.
- ✔ Een aantal kamer- en tuinplanten (bijvoorbeeld kerstster, christusdoorn, vingerhoedskruid en bosanemoon) zijn giftig en zelfs kleine hoeveelheden toxische stoffen kunnen voor hamsters fataal zijn.

Grondbeginselen van de verzorging

Hamsters houden niet alleen van schoon en netjes, maar hebben ook zo hun eigen ideeën over hoe hun verblijf eruit moet zien. Zo hebben ze een plekje nodig om te slapen, een plek waar ze hun voorraden kunnen aanleggen (meestal daar, waar ze ook slapen) en een of meer plekken waar ze kunnen plassen (de droge uitwerpselen worden echter royaler verspreid). In elke kooi verzamelen zich in de loop van de tijd urine en uitwerpselen. Daardoor vormt zich onder andere ammoniak en de kooi begint te stinken. Dat is noch voor ons, noch voor de hamster prettig, ook omdat ammoniak de luchtwegen van de dieren prikkelt. Dit geldt vooral als de hamsters in een aquarium of terrarium worden gehouden. De ventilatie is niet zo goed als in een traliekooi, en de geur zal buiten het glazen verblijf niet zo opvallen.

Met volle wangzakken via de korste weg naar het hamsterhuis.

De dagelijkse routine

Bij iedere hamstereigenaar zou 's avonds de volgende routine op het programma moeten staan.

- Het strooisel uit de voerbakjes halen en het voer aanvullen.
- Het groenvoer van de vorige dag verwijderen, zodat het niet gaat schimmelen.
- De waterfles schoonmaken en opnieuw vullen.
- Vieze plashoeken schoonmaken en van nieuw zand voorzien.
- Droogvoer en aanvullend voer over het strooisel verspreiden (nu of als de hamster in zijn kooi wordt gezet).

Vaak lokt het gerommel in zijn kooi de hamster uit zijn slaapplaats, zodat u meteen zijn huisje kunt controleren. Daar heeft hij vaak resten

TIPS

Schoonmaken van de waterfles

- Gebruik geen schoonmaakmiddelen, maar spoel de waterfles met heet water om.
- Gebruik voor een grondige schoonmaakbeurt een flessen- of tandenborstel.
- Controleer de waterfles voor je hem ophangt. Als er nog een luchtbel in het buisje zit, komt er geen water uit.
- Probeer ook in de kooi nog een keer of er water uitkomt als je met je vinger tegen de kogel tikt.

groenvoer in zijn voorraadbergjes verstopt die al snel beginnen te schimmelen. Voor deze controles zijn huisjes met een afneembaar dak heel praktisch.
Als de hamster nu actief wordt, zal hij zijn behoefte doen, iets eten en dan op onderzoek uitgaan. Nu is het de ideale tijd om je met de hamster bezig te houden. Je kunt hem op je hand nemen of hem vrij rond laten lopen (zie blz. 50-51), oud speelgoed vervangen door nieuw of hem gewoon observeren.

Hoe vaak moet de kooi worden schoongemaakt?

Dat hangt er vanaf hoeveel hamsters er zijn en hoe groot de kooi is. Meer dieren zorgen natuurlijk voor meer viezigheid, terwijl een grotere kooi niet zo snel vies wordt. Eens per week is een goede richtlijn; bij grote kooien is eens per anderhalve week tot twee weken voldoende. Stinkt de kooi als je hem schoonmaakt? Dan moet je het verblijf de volgende keer eerder schoonmaken. Tijdens het schoonmaken moet de hamster natuurlijk uit de kooi worden gehaald. Hij mag intussen echter niet vrij rondlopen, want hij zou weleens onder je voeten terecht kunnen komen, door de stofzuiger overreden kunnen worden of ongezien in de vuilniszak bij het oude strooisel kunnen kruipen. Zet hem liever in de transportkooi of in een diepe emmer – daar zit hij veiliger terwijl je zijn kooi schoonmaakt.

Uitgebreid wassen – gezonde hamsters houden zichzelf schoon.

Grote schoonmaak in het hamsterverblijf

Een vieze kooi werkt ongedierte in de hand, maar ook ziekten als oogontstekingen en besmettelijke diarree. Daarom moet je de kooi beslist regelmatig schoonmaken. In verwaarloosde kooien leven geen gezonde hamsters. Voor het schoonmaken van het verblijf zijn een vuilniszak, heet water, een doek, stoffer en blik en eventueel een stofzuiger nodig. Haal alle huisjes en al het speelgoed uit het hok en verwijder daarna het oude strooisel. Bewaar een deel van de gehamsterde voorraden mits het niet beschimmeld is. De hamster wil zijn schat immers graag terughebben. Schrob de kooi goed schoon met heet water, maar gebruik geen scherpe reinigingsmiddelen, omdat deze de luchtwegen van de hamster prikkelen. Maak ook de platforms, de tralies en het speelgoed zorgvuldig schoon en laat alles goed drogen.

> *Veel hamsters benutten graag een open deur om een uitstapje te maken.*

Als je de plashoek regelmatig schoonmaakt, hoef je geen knaagdierenluchtverfrisser te gebruiken. Die verstoren net als geparfumeerd strooisel alleen de reukzin van de dieren. Kooien moeten alleen worden gedesinfecteerd als de hamster ziek is geweest of parasieten had. En daarvoor zijn er in de handel niet-giftige en speciaal voor knaagdieren geschikte desinfecterende middelen verkrijgbaar.

Als alles droog is, richt je de kooi opnieuw in: strooisel, zand, nestmateriaal, huisjes en wat er allemaal nog meer in thuishoort. Nu kun je ook een of twee stuks speelgoed verwisselen om zo voor afwisseling te zorgen. Tot slot kan de hamster in de kooi. Hij heeft het nu erg druk, want hij moet eerst alle wanorde die je hebt aangericht, herstellen.

Niet vergeten: het speelgoed

Vergeet niet het speelgoed en andere voorwerpen uit het hamsterverblijf regelmatig schoon te maken. Vooral houten onderdelen krijgen snel een onaangename geur als ze niet regelmatig met warm water en een borstel worden afgeschrobd. Na een tijdje zal deze inspanning echter bij houten voorwerpen nauwelijks nog resultaat opleveren. Vervanging is dan geboden.

Geen regels zonder uitzonderingen

Hamstervrouwtjes met jongen gedragen zich in de eerste tijd na de geboorte vaak wat nerveus – hoe tam en vertrouwelijk ze gewoonlijk ook zijn. Maak daarom de kooi in deze tijd heel voorzichtig schoon of – dat is nog het beste – sla de schoonmaakbeurt een keertje over. Een wat sterkere geur dan anders is voor hamsters en eigenaars gemakkelijker te accepteren dan dat de moeder haar jongen zou verlaten of ze zelfs zou doodbijten.

Een verzorgd uiterlijk

Hamsters stellen prijs op een verzorgde en schone vacht. Daarom wast een gezonde hamster zich dagelijks enkele keren. Onder normale omstandigheden heeft hij daarbij geen hulp nodig. Je kunt de vachtverzorging echter wel ondersteunen met zandbaden, die overtollige olie uit de vacht trekken.
Als een hamster plotseling een ruige vacht krijgt en er onverzorgd uitziet, is dat beslist een alarmsignaal. Misschien is het dier ziek en moet het behandeld worden (zie blz. 42-45).
Langharige hamsters kun je voorzichtig met een tandenborstel of een babyborsteltje borstelen. Soms raakt hun vacht in de klit of blijven er stukjes voedsel in de haren hangen. Als de dieren klitten in hun vacht hebben, moet je deze er voorzichtig uitknippen.
Hamsters mogen niet worden gewassen en zo'n kwelling is ook absoluut overbodig. Niet zelden raken hamsters daarbij onderkoeld of krijgen ze zelfs een longontsteking.

> *Alles ruikt naar mens – eerst maar eens poetsen.*

CHECKLIST

Verzorgingsplan

Dagelijks:
- ✔ Voeren
- ✔ Oud groenvoer verwijderen
- ✔ Water verversen
- ✔ Controleren of de waterfles goed werkt
- ✔ Bezig zijn met de hamster, evt. vrij laten rondlopen

Om de dag:
- ✔ Plashoek schoonmaken
- ✔ Voorraadkamer controleren

Wekelijks of naar behoefte:
- ✔ Grondige schoonmaakbeurt voor de hele kooi
- ✔ Speelgoed, huisjes en voerbakjes schoonmaken
- ✔ Een deel van het speelgoed omruilen

Zo blijft je hamster gezond

Deskundige en liefdevolle verzorging is de beste manier om je hamster gezond te houden, want verreweg de meeste ziekten ontstaan doordat de dieren verkeerd worden gehouden.

Trosgierst is een ideale lekkernij en bezigheid tegelijk.

Ziekten voorkomen

Veel hamsterziekten worden door stress veroorzaakt. Zo kunnen verstoring overdag (verkeerde standplaats van de kooi, vaak wakker maken) of het feit dat er te veel dieren in een kooi worden gehouden, bijvoorbeeld tot huidaandoeningen en infecties leiden. Andere veelvoorkomende oorzaken van ziekten zijn:

- gebrek aan hygiëne
- stoffig strooisel
- te weinig beweging
- onvoldoende afwisseling
- verkeerd voedsel.

Vergiftigingen Bij hamsters die regelmatig vrij in de kamer rondlopen, moet je altijd rekening houden met vergiftigingen, bijvoorbeeld door giftige kamerplanten of aangeknaagde medicijnen. Kenmerkende symptomen van een vergiftiging zijn verlammingsverschijnselen of evenwichtsstoornissen. Ga in zo'n geval meteen naar een dierenarts.

Bevangen door de warmte
Een hamster kan gemakkelijk bevangen raken door de warmte als zijn behuizing in de volle zon staat, vooral als dat een aquarium of een terrarium is, waarin maar weinig frisse lucht kan komen. Als de hamster in zijn verblijf naar lucht hapt, moet hij meteen naar een koelere plek.

Ongelukken Een veelvoorko-

TIPS

Maatregelen en gedrag in geval van ziekte

- Als je je dagelijks met de hamster bezighoudt, merk je veranderingen door ziekte op tijd op.
- Weeg de hamster regelmatig op een keukenweegschaal om gewichtsverlies vroegtijdig te onderkennen.
- Houd het telefoonnummer van een op hamstergebied deskundige dierenarts bij de hand en handel snel in geval van ziekte.
- Bescherm het zieke dier tijdens het vervoer tegen weer, wind en warmte. Neem wat voer en water mee.

mende oorzaak is ongeschikt speelgoed als tredmolentjes of oude kooien met losse tralies waaraan de dieren zich verwonden. Soms veroorzaakt een val botbreuken, die dan beslist door de dierenarts moeten worden behandeld. Te lange nagels kunnen ook botbreuken tot gevolg hebben. De hamster blijft dan namelijk gemakkelijk ergens aan hangen.

Maar eigenlijk zijn hamsters heel sterk en worden ze maar relatief zelden ziek.

Nee, ik neem mijn medicijnen niet in! En bovendien gaat het helemaal niet zo slecht met me!

Op tijd naar de dierenarts

Als hamsters ondanks een goede verzorging toch ziek zijn, verslechtert hun gezondheidstoestand vaak heel snel. Daarom moet je bij de eerste tekenen van ziekte meteen naar de dierenarts. Het beste kun je meteen na aanschaf van de hamster op zoek gaan naar het adres van een dierenarts die gedegen kennis heeft van kleine knaagdieren, in plaats van er pas over na te gaan denken als de nood aan de man is. Dierenspeciaalzaken, kleindierenverenigingen en op internet (zie Adressen, blz. 60) weten meestal wel een 'hamsterkundige' dierenarts.

Ziekenzorg

Er is veel ervaring nodig om een hamster met huismiddeltjes weer gezond te maken. Als je die niet hebt, moet je een dierenarts om raad vragen. Toch is er een aantal maatregelen waarmee je je patiënt kunt helpen.

➤ Een zieke hamster heeft rust en bescherming nodig tegen grote temperatuurschommelingen en een te hoge of een te lage luchtvochtigheid.

➤ Vers water met vitaminedruppels voor knaagdieren kan de genezing ondersteunen.

➤ Bij uitwendige verwondingen is hygiëne uitermate belangrijk, om ontsteking van de wonden te voorkomen.

➤ Bijtwonden verzorgt de hamster gewoonlijk zelf. Wees echter alert op ontstekingen, want daarmee moet je naar de dierenarts.

Besmetting door parasieten

Bij een besmetting door parasieten moet je niet alleen de hamster, maar ook zijn verblijf behandelen met een speciaal desinfecterend middel uit de dierenspeciaalzaak. Verwijder dan ook alle houten voorwerpen, omdat er parasieten en eieren in de spleten kunnen zitten. Medicijnen moet je meestal met wat listige foefjes naar binnen zien te krijgen. Het is het gemakkelijkst om ze door het lievelingsvoer van de hamster te mengen.

Wees voorzichtig als je je hamster vrij laat rondlopen – sommige kamerplanten zijn giftig.

Door hamsters overdraagbare ziekten

Het gevaar van overdracht van ziekten door een hamster is niet erg groot. Informatie is echter nooit weg, zo kun je het risico zo klein mogelijk houden.

Lymfocytaire choriomeningitis (LCM) is een virale hersenvliesontsteking die door jonge goudhamsters ook op mensen kan worden overgedragen, overigens zelden met ernstige gevolgen. Bij menselijke foetussen kunnen echter beschadigingen ontstaan en zwangere vrouwen zouden daarom altijd uit de buurt van goudhamsters moeten blijven. Bij dwerghamsters is LCM tot nog toe nog niet aangetoond.

Salmonella en ongedierte, zoals vlooien, kunnen eveneens door hamsters op de mens en omgekeerd worden overgedragen. Daarom moet je voor en na het contact met de dieren telkens goed je handen wassen. Dat geldt vooral voor kinderen. Sta 'kusjes geven' niet toe. Zorg ervoor dat de hamster geen contact met wilde knaagdieren heeft (bijvoorbeeld als het dier in een kooi op het balkon of in de tuin staat), want ook op die manier worden ziekten overgedragen.

Ouderdom en overlijden

Hamsters worden twee tot drie jaar oud, maar als ze anderhalf jaar zijn, treden soms al de eerste ouderdomsverschijnselen op. De dieren zijn niet meer zo actief en eten meestal ook minder. Nu worden een niet al te eiwitrijke voeding en een heel goede hygiëne belangrijker. Als de hamster apathisch in zijn huisje ligt, vermagert of vanwege erge pijn agressief reageert, mag je hem niet laten lijden en moet je hem laten inslapen. Dat is natuurlijk heel verdrietig, maar verlenging van zijn leven betekent onder deze omstandigheden geen dierenliefde. Om de herinnering aan een mooie tijd samen te bewaren, kun je het diertje in de tuin begraven en uitgebreid afscheid van hem nemen. Dat is voor kinderen meestal beter te verwerken dan wanneer de hamster plotseling gewoon weg is.

Veel voorkomende aandoeningen en hun behandeling

Aandoening en oorzaak	Symptomen	Behandeling
Diarree Koud, bedorven of nat groenvoer, stress, ingeslikt stukje plastic, onverteerbare hamsterwatten	Dunvloeibare ontlasting, gebied rond anus vies, kromme houding	Geef alleen zaden en water. Als dat niet helpt, moet meteen de hulp van de dierenarts worden ingeroepen
Natte staart Vermoed wordt E. coli	Staartgebied nat en vies, gekromde houding	Direct naar de dierenarts. De ziekte is helaas zelden te genezen
Te lange, scheve of afgebroken tanden Ontbreken van knaagmogelijkheden, aanleg, ongeluk	Bek kan niet worden gesloten, hamster eet niet, vermagert	Door de dierenarts laten corrigeren, voldoende knaagmateriaal geven
Aandoeningen aan de luchtwegen Tocht, temperatuurschommelingen, te hoge/te lage luchtvochtigheid, gebrek aan hygiëne, stoffig strooisel	Hoorbare ademhaling, niezen, afscheiding uit mond en ogen, apathie, gewichtsverlies	Moet door de dierenarts worden behandeld
Oogaandoeningen Tocht, gebrek aan hygiëne, verwonding aan kapotte tralies of voorwerpen in de kooi, stoffig strooisel, kooi staat te licht	Tranende ogen, rode of verkleefde oogleden, dieren mijden licht	Moet door de dierenarts worden behandeld
Huidaandoeningen – door schimmels of mijten Ophoping van warmte, te hoge luchtvochtigheid, verkeerd strooisel of hamsterwatten, gebrek aan hygiëne, stress, gebrek aan vitamine A en E	Krabben tot bloedens toe, kale plekken, korsten en blaasjes	Moet door de dierenarts worden behandeld, tegelijkertijd desinfecteren zoals in de tekst is beschreven
Tumoren Verschillende oorzaken, treden vaak bij oudere hamsters op	Snelgroeiende verdikkingen onder huid en tepels	Kan soms door de dierenarts operatief worden verwijderd
Wangzakontsteking of verstopping Puntige voorwerpen, zoetigheid, hamsterwatten	Wangzak kan niet meer worden geleegd, zeer pijnlijk, hamster eet niet, zurige lucht uit de bek	Dierenarts kan de vreemde voorwerpen verwijderen of ontstekingen behandelen

Voeding en verzorging

Wat kan ik doen als de vacht van mijn hamster met een substantie is besmeurd, die hij er zelf niet af kan of mag poetsen?
Als het om een enkele plek gaat, probeer je het vuil er voorzichtig met de verkleefde haren uit te knippen. Als het een giftige stof is, moet je voorkomen dat het dier zich wast en zo snel mogelijk naar de dierenarts gaan. Bij niet-giftige stoffen – bijvoorbeeld spijsolie – was je het dier voorzichtig met warm water en ongeparfumeerde dieren- of babyshampoo en spoel je alle resten grondig uit. Zorg ervoor dat het water en de shampoo niet op de kop of in de oren komen. Droog de hamster voorzichtig af en houd hem warm, zodat hij niet onderkoeld raakt of een longontsteking krijgt.

Mijn hamster likt voortdurend aan mijn handen of aan voorwerpen.
Met grote waarschijnlijkheid heeft het dier last van zoutgebrek. Koop een zoutliksteen in de dierenspeciaalzaak, hang hem in de kooi en maak de hamster blij.

Onze hamster zoekt altijd bepaalde zaden uit zijn voer. Hoe kan ik dat voorkomen?
Net als mensen hebben ook hamsters een heel eigen smaak. Toch mogen de dieren niet alleen hun lievelingsvoer krijgen, omdat ze anders onevenwichtig worden gevoerd. Geef het dier dagelijks zoveel voer dat er maar een heel klein beetje overblijft. Als je het zadenmengsel zelf maakt, kun je bijvoorbeeld ook een dag alleen maar gierst en meergranenvlokken en de volgende dag enkel parkietenvoer en tarwe voeren. In de natuur zouden de hamsters ook niet elke dag alles vinden. Probeer in ieder geval nooit de dieren te dwingen iets te eten wat ze niet lekker vinden. Dan loop je kans dat het dier te weinig krijgt.

> *Was dat echt alles? Ik heb net de smaak te pakken!*

De meelwormen voor mijn hamster hebben zich verpopt. Kan ik ze desondanks nog voeren?
De lichtgekleurde, beweeglijke poppen kun je net zo goed voeren als de onverpopte meelwormen; alleen de zwarte meeltorren zijn te groot en zouden wegvliegen. Dat moet je in elk geval zien te voorkomen, want het zijn schadelijke dieren die je beslist niet in je huis wilt hebben. In de koelkast duurt het overigens veel langer voor meelwormen zich verpoppen.

Mijn hamster is dik en traag geworden. Hoe krijgt hij zijn slanke lijn terug?
Geef hem geen vetrijk voer meer, zoals zonnebloempitten en noten. Door de hoge stofwisselingssnelheid van de hamster reguleert zijn gewicht zich snel. Een hongerdieet zou het dier schaden. Zorg voor een voldoende grote kooi, genoeg beweging en uitgebalanceerd voedsel.

Mijn al wat oudere hamster is blind geworden. Waar moet ik op letten?
Hamsters vertrouwen veel meer op hun gehoor en reukzin dan op hun ogen. Daarom belemmert blindheid hen nauwelijks.

Een van mijn hamsters is kleiner en dunner dan de andere. Is hij misschien ziek?
Waarschijnlijk staat dit dier helemaal onderaan in de hamsterhiërarchie. Geef vocht-, eiwit- en vetrijk voer met de hand en overtuig u ervan dat hij genoeg te eten krijgt.

Mijn hamster heeft heel lange nagels. Kan ik ze zelf knippen?
Vraag de eerste keer aan de dierenarts om voor te doen hoe je de nagels knipt. Zorg bovendien voor mogelijkheden om de nagels af te slijten, bijvoorbeeld aardewerken schalen of stenen.

VRAGEN & ANTWOORDEN

Monika Lange

Fitness voor hamsters

- Ontkiemde tarwekorrels zijn gezonde lekkernijen voor de hamster. Laat tarwekorrels een uur in warm water weken en laat ze vervolgens ontkiemen.
- Sommige dierenspeciaalzaken hebben een grote variëteit aan zaden, waarmee je zelf naar believen voer kunt mengen.
- Ongeglazuurde aardewerk schalen zijn heel geschikt als zandbaden, omdat de hamster bij het woelen tegelijkertijd zijn nagels afslijt.
- Rookvrije, goed geluchte kamers houden de gevoelige luchtwegen van de hamster gezond.
- Houten speelgoed en aardewerken schalen moeten na een grondige schoonmaakbeurt eerst goed drogen voor je ze in de kooi terugzet.

Bezighouden

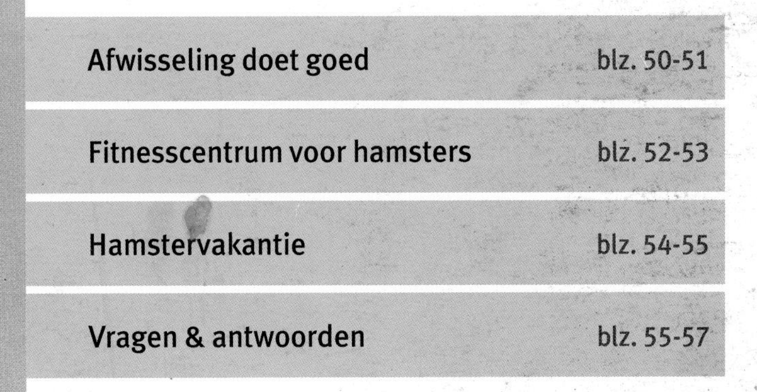

Afwisseling doet goed

Hamsters moeten zich kunnen bewegen, ze moeten woelen, onderzoeken en klauteren. Dieren die afwisseling krijgen, zijn gezonder. Zonder bezigheden vervallen ze al snel in stereotiep gedrag. Dat betekent dat ze bijvoorbeeld voortdurend aan de tralies knagen of urenlang in de tredmolen rennen. En natuurlijk is het leuk om nieuw speelgoed uit te denken en daarbij naar de dieren te kijken hoe ze de vreugde van het ontdekken uitleven.

> *Vrij rondlopen zonder toezicht is niet ongevaarlijk voor hamsters.*

Vrij rondlopen zonder risico's

Als je een hamsterveilige kamer hebt (zie checklist) en het geen halszaak is dat de hamster af en toe ergens aan knaagt, is het mogelijk een goudhamster vrij rond te laten lopen. Daarvoor moet het dier echter handtam zijn, zodat hij terugkomt als je hem lokt en je hem probleemloos in de kooi kunt zetten. Dwerghamsters mogen daarentegen niet vrij rondlopen. Ze zijn gewoon te klein en te snel en het is heel moeilijk ze te vangen. Kan de goudhamster zonder gevaar vanaf het deurtje van de kooi op de grond komen? Dan kun je het verblijf openzetten en afwachten. De meeste hamsters zullen hun nieuwe vrijheid in etappes verkennen en elke avond moediger worden. Anders laat je het dier eerst over je heen klauteren en daarna langzaam de vrijheid verken-

CHECKLIST

Let op! Loslopende hamster

- ✔ Maak deuren en laden voorzichtig open.
- ✔ Controleer bank en kussens voor je gaat zitten.
- ✔ Kijk uit waar je loopt; snelle dieren kunnen per ongeluk onder je voet terechtkomen.
- ✔ Dek vazen, aquaria en andere met water gevulde voorwerpen af, zodat de hamsters er niet in kunnen vallen en verdrinken.
- ✔ Veel kamerplanten zijn giftig – zet ze dus buiten het bereik van de hamsters.
- ✔ Laat geen snoeren op de grond liggen, want hamsters willen er nog weleens aan knagen.
- ✔ Wees voorzichtig met hete voorwerpen – de keuken is geen geschikte plaats om hamsters vrij te laten rondlopen.
- ✔ Naalden en andere scherpe voorwerpen kunnen de wangzakken verwonden.
- ✔ Wees voorzichtig met huisdieren als honden en katten.
- ✔ Een hamster kan schoonmaakmiddelen, medicijnen en bestrijdingsmiddelen inslikken als hij een gat in de verpakking knaagt.
- ✔ Hamsters klimmen graag in de gordijnen, maar kunnen dan niet goed meer naar beneden met een valpartij als gevolg.

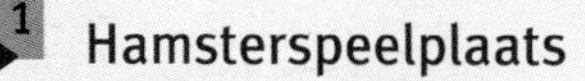

1 Hamsterspeelplaats

Een begrensde hamsterspeelplaats is een goed en vooral veilig alternatief voor vrij rondlopen, waarbij talrijke gevaren op de loer liggen (zie checklist). Op de speelplaats moeten klimmateriaal en speelgoed staan. Ook moet er een schuilplaats om zich te verstoppen als de hamster onraad voelt.

2 Babybox

Ook een grote plastic doos kan als speelplaats voor hamsters dienen. Als de hamster daarin afwisselend speelgoed – bijvoorbeeld een onbehandelde houten wasknijper – aantreft, is zo'n box niet alleen spannend, maar ook behoorlijk 'hamsterproof'.

nen. Schrik vooral niet als de hamster plotseling in je kleding verdwijnt.
Terwijl hij vrij rondloopt, kun je hem speelgoed en iets te eten aanbieden – het beste is wat groenvoer om zijn dorst te lessen (zie blz. 35). Geef echter niet te veel voer, dat bewaart hij waarschijnlijk onder de bank.

Speelplaats

Als alternatief voor vrij rondlopen kun je voor uw hamster ook een speelplaats inrichten en met verplaatsbare tralies uit de dierenspeciaalzaak omheinen. Dat traliewerk neemt niet veel plaats in: je vouwt het in elkaar als het niet in gebruik is.
Deze speelplaatsen zijn echter niet uitbraakveilig, zelfs niet voor Russische en Roborovski dwerghamsters die met hun harige voetjes niet tot de allerbeste klauteraars behoren. Verlies de hamster op een dergelijke speelplaats dus niet te lang uit het oog.
Babybox Ook in een grote plastic doos kun je een hamster verschillend speelgoed aanbieden en hem daarin laten uitrazen. De dozen zijn licht en dus gemakkelijk schoon te maken en op te ruimen en ze voorkomen dat de hamster ongewenste sporen op het kleed achterlaat. Ze nemen echter meer plaats in dan de praktische omheining van tralies.

Fitnesscentrum voor hamsters

Eigenlijk is speelgoed in dit verband niet de juiste term, want spelen zoals bij honden en katten is bij hamsters ongebruikelijk. Hamsters willen veel meer hun natuurlijke behoeften uitleven en daarbij kunnen we hen met klimmateriaal, tunnels, tredmolens

Oef! Toch te veel gegeten. Nu helpt alleen nog de tredmolen.

en knaagmateriaal helpen. Als er iemand is die zijn spelbehoefte botviert, is dat de mens.

Goede tredmolens zijn moeilijk te vinden

Het is indrukwekkend: de kleine hamsters leggen in de natuur elke nacht verscheidene kilometers af. Dat kan zelfs de grootste kooi niet aan. Daarom zijn tredmolens bij de meeste hamsters (maar lang niet bij allemaal) zo geliefd.

Sommige van de verkrijgbare loopwieltjes zijn ware moordwerktuigen. Een goede tredmolen heeft een gesloten achterkant en een open voorkant zonder zijstangen die als dodelijke scharen aan de ophanging voorbijsuizen. Belangrijk zijn bovendien gesloten loopvlakken, zodat de pootjes er niet doorheen kunnen schieten.

De tredmolen moet zo groot zijn, dat de hamster zich er tijdens het lopen in kan uitstrekken. Hout of niet-gecoat staal is als materiaal zeer geschikt; bovendien moet je op de juiste ophanging voor het type kooi letten. Heel lichte modellen kun je het beste op een plaat hout monteren, zodat de hamster niet met tredmolen en al omvalt. Voor een groep hamsters zijn meer tredmolens nodig, omdat er soms om wordt gevochten – terwijl sommige hamsters zelfs 'tredmolen lopen' met z'n tweeën kunnen leren.

TIPS

Voer zoeken als tijdverdrijf

- Voer zoeken is voor hamsters in een kooi vaak te gemakkelijk en saai. Verstop bijvoorbeeld eens een lekker hapje in een met papier dichtgestopte wc-rol, zodat de hamster voor zijn beloning moet werken.
- Prik voer op een klimboom. De hamster moet zoeken en klimmen om het te verzamelen.
- Voor de hamster is het een verrijking als je het droogvoer eenvoudig over het strooisel verspreidt, zodat hij moet snuffelen en zoeken.

Speelgoed uit de dierenspeciaalzaak

De dierenspeciaalzaak heeft een overvloed aan hamsterspeelgoed: klauterstellages, laddertjes, buigzame bruggen of sisaltunnels om er maar eens een paar te noemen. Neem echter in elk geval de tijd om het aanbod goed te bekijken, want hamsterspeelgoed:

- moet van niet-giftig materiaal zijn gemaakt
- moet van dien aard zijn dat de dieren er niet in vast kunnen komen te zitten
- moet of gemakkelijk schoon te maken zijn of voor eenmalig gebruik zijn
- kan beter niet van plastic zijn, want afgeknaagde stukjes plastic kunnen de hamstermaag verwonden.

Speelgoed om zelf te maken

Speelgoed wordt na een tijdje oninteressant, zodat er weer iets nieuws moet komen. Dan is niet duur, zelfgemaakt speelgoed handig. Wc- en keukenrollen zijn prima tunnels, waar dwerghamsters ook nog met z'n tweeën doorheen kunnen.
Je kunt van de rolletjes ook een doolhof te maken. Hiertoe snijd je er gaten in of stapelt je ze op elkaar en maak je ze met grote paperclips (deze mogen geen plastic laagje en geen scherpe kanten hebben) aan elkaar vast. In doe-het-zelfzaken zijn holle bakstenen en buizen van aardewerk te koop. Die hebben als voordeel dat de hamsters bij het klauteren tegelijkertijd hun nagels slijten. Schone eierdozen met twee tot drie ingangen zijn eveneens zeer geliefd. Als de hamster te veel van het bedrukte deksel eet, geef hem dan alleen de onderkant of een andere kartonnen doos.

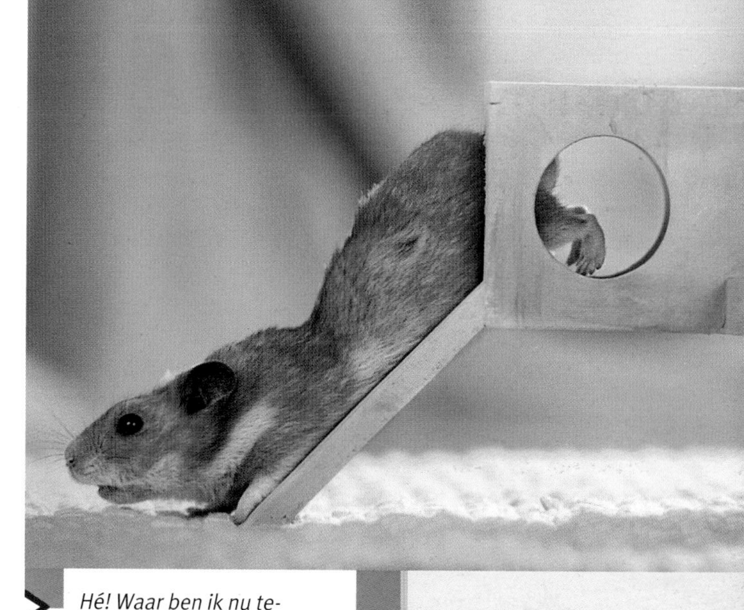

Hé! Waar ben ik nu terechtgekomen?

CHECKLIST

Zo blijft je hamster fit

- ✔ Zorg voor een uitgebalanceerd, afwisselend droogvoermengsel dat niet te veel vetrijke zaden bevat.
- ✔ Let erop dat de hamster niet enkel bepaalde zaden uit het mengsel zoekt.
- ✔ Bied dagelijks groenvoer aan.
- ✔ Richt het hamsterverblijf zo in dat het dier voldoende bewegingsmogelijkheden heeft.
- ✔ Zorg voor afwisseling in het hamsterleven.
- ✔ Probeer stress voor het dier te vermijden.

Voor handige knutselaars is het project 'klimboom' vast geen probleem: een goed schoongemaakte dikke tak met zijtakken geschroefd op

Merkwaardig, dat beest ruikt helemaal niet naar hamster...

een stabiele ondergrond. Op de uiteinden van de takken kun je stukjes fruit of andere kleine lekkernijen prikken.

Speelgoed uit de natuur

Schoongeschrobde stenen die je hebt verzameld, verrijken de kooi of hamsterspeelplaats. De stenen worden niet alleen gebruikt als klimmateriaal en uitkijkpost, maar ze dienen ook als oriëntatiepunt. Herfstbladeren met strooisel en papierstrookjes in een emmer zijn ideaal om in te woelen. De blaadjes mogen echter niet beschimmeld of nat zijn. Als je wilt weten waarom hamsters tot de familie van de woelers behoren, moet je maar eens een stuk graszode met wortels en aarde en al uitsteken en het de hamster in een doos of een emmer geven. Het gras mag echter niet afkomstig zijn van een hondenveldje of een bemest grasveld of dennennaalden bevatten. Let op dat de hamsters, die bij het graven nat kunnen worden, niet onderkoeld raken.

Hamstervakantie

Het is niet verstandig hamsters mee te nemen op vakantie. Afgezien van de organisatorische problemen met kooi, vrij rondlopen, douane en een hete auto, gaat reizen voor de dieren in principe gepaard met veel stress. Hamsters willen geen verandering van lucht.

Geschikt verzorgingsadres
Het is wel zo praktisch als je voor of op zijn laatst bij de aanschaf van een hamster op zoek gaat naar een geschikt vakantieadres. Misschien kunnen vrienden of buren elke dag even naar de dieren kijken of het dier gaat uit logeren. Zoek het liefst iemand die bekend is met kleindieren en zijn huis niet uitgerekend vol heeft zitten met katten. Werk de vakantieverzorger in voordat hij de plichten van een hamstereigenaar overneemt. Laat hem bijvoorbeeld zien hoe hij de dieren moet

TIPS

Verzorging tijdens de vakantie

- Is er niemand die de hamster tijdens de vakantie kan verzorgen? Informeer dan eens bij dierenspeciaalzaken, -asiels en -artsen. Sommige bieden verzorging tijdens de vakantie aan.
- Zelfs als je niet lang weggaat, moet je zorgen dat er een goede temperatuur heerst in de hamsterkamer. 's Zomers kan een kamer zo warm worden, dat de hamster door de warmte bevangen raakt; 's winters kan de hamster onderkoeld raken of zelfs in winterslaap gaan.

Op een klein stationnetje, 's morgens in de vroegte... De oude trein van de kinderen kan bij hamsters nog een tweede leven krijgen.

optillen en hoe je de kooi schoonmaakt. Zet voldoende voer en strooisel voor de verzorger klaar en geef hem een uitgebreide voer- en verzorgingslijst (zie blz. 35 en 41). Een speelplaats – doos of tralieomheining (zie blz. 51) – is tijdens de vakantie heel praktisch. Zo komen de dieren er van tijd tot tijd uit zonder dat de vakantieverzorger zich er zorgen over hoeft te maken of zijn woonkamer wel hamsterveilig is en hoe hij de hamsters moet vangen.

Belangrijk zijn echter ook de gedragsregels voor noodgevallen, dus het telefoonnummer waaronder je te bereiken bent, evenals het adres en telefoonnummer van de dierenarts. Maak duidelijke afspraken over wat er in noodgevallen moet gebeuren. Het is de nachtmerrie van iedere verzorger dat het dier uitgerekend ziek wordt in de tijd dat hij ervoor zorgt.

Korte vakantie Voor twee tot drie dagen kunnen hamsters echter ook probleemloos alleen zijn. Ze moeten royaal voer en voldoende water hebben en als groenvoer een dikke wortel krijgen, die langere tijd goed blijft zonder te beschimmelen. Geen enkele hamster zal er echter erg enthousiast over zijn, want zonder mensen is het behoorlijk saai.

Vragen rond bezigheden en spel

? Mijn hamster komt soms niet terug als hij vrij heeft rondgelopen. Wat kan ik doen?
Doe alle deuren en ramen dicht en begin daarna een grondige zoektocht. Controleer alle mogelijke slaapplaatsen. Als je hem zo niet vindt, houd je de vertrekken gesloten en leg je in elke kamer wat droog- en groenvoer neer om erachter te komen waar hij zit. Daar kun je vervolgens een val bouwen, bijvoorbeeld een aquarium of een emmer met sterk geurend voer, zoals fruit, en water. Leg een loopplankje tegen het aquarium of de emmer, zodat de hamster erin kan springen, maar er niet meer uit kan. Bedek de bodem met strooisel, zodat hij zich bij de sprong niet bezeert.

? Mijn hamster heeft geen enkele belangstelling voor zijn speelgoed. Is hij misschien ziek?
Een hamster die in een saaie kooi is opgegroeid, zal aanvankelijk wantrouwend tegenover nieuwe indrukken staan. Daarom kan het een hele tijd duren voor hij bij zijn nieuwe speelgoed in de buurt komt, het leuk vindt en het gebruikt.

? Mijn hamster rent voortdurend in zijn tredmolen rond en doet verder niets anders. Wat is er toch met hem aan de hand?
Hamsters kunnen tredmolengek worden. Dat komt vooral voor als een dier een te kleine kooi en/of te weinig bezigheden heeft. Een tredmolen als enige bezigheid is vaak niet voldoende. Vaak brengen vrij rondlopen, een grotere kooi en speelgoed uitkomst. Dat werkt echter niet van het ene op het andere moment. Het kost tijd voor hij het langeafstandsrennen opgeeft. Soms kan een loopgrage hamster zelfs een beetje depressief worden als je hem zijn tredmolen afneemt. Om dat te voorkomen, kun je hem de tredmolen van het begin af aan slechts dagelijks een uurtje laten gebruiken, bijvoorbeeld in zijn speeldoos.

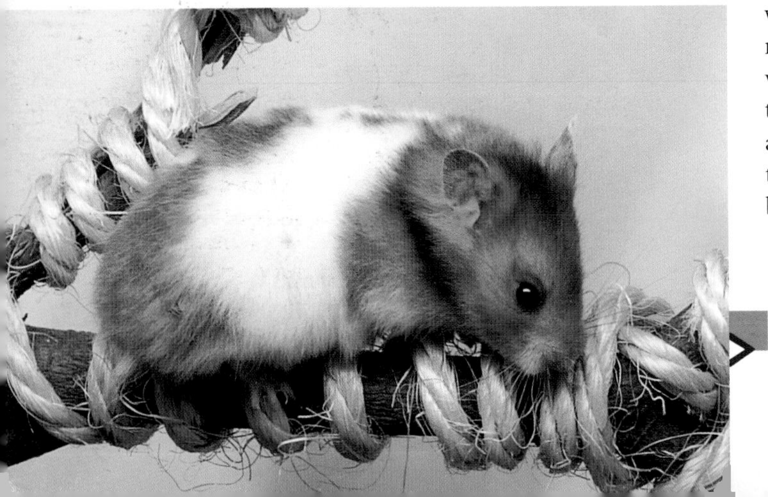

Soms denk ik dat ik beter met allevier mijn poten op de grond kan blijven.

Waarom gebruikt mijn hamster zijn tredmolen helemaal niet?
Vooral dwerghamsters interesseren zich vaak niet bijzonder voor tredmolens. Soms moeten ze eerst ontdekken waar die wiebelige dingen eigenlijk voor dienen en waarom er niets gebeurt als ze er met z'n tweeën in zitten en allebei in een andere richting willen lopen.

Kun je speelplaatsen voor hamsters ook op een tafel bouwen?
Hamsters hebben een heel slecht gevoel voor hoogte, waardoor ze zich soms totaal onverwachts van de rand van een tafel of van uw hand laten vallen. Het is dus een goed idee, omdat de dieren bij een val kneuzingen of zelfs botbreuken kunnen oplopen. Als een hamster desondanks toch van grote hoogte is gevallen, moet je hem daarna goed in de gaten houden. Loopt hij mank? Dan moet hij naar de dierenarts. Ga zo voorzichtig mogelijk met het gevallen dier om, want hij heeft waarschijnlijk een shock en hij heeft rust nodig.

Mijn hamster springt voortdurend tegen de wanden van het aquarium omhoog. Kan ik iets daartegen doen?
Dit is stereotiep gedrag. Je kunt je hamster hier vanaf helpen met een kooi die groot genoeg is en/of door hem meer bezigheden te geven. Het kan even duren voor dit gedrag verdwijnt.

Kun je hamsters een woellandschap van aarde of zand geven?
Aarde is alleen geschikt om in te graven als hij vochtig wordt gehouden. Dat leidt bij de dieren gemakkelijk tot onderkoeling. Als u zand als enige bodembedekking gebruikt, zijn geïrriteerde slijmvliezen vaak het gevolg.

VRAGEN & ANTWOORDEN

Monika Lange

Goede speelplaatsen

- Houten tredmolens zijn in aanschaf weliswaar duurder dan stalen of plastic exemplaren, maar draaien minder luidruchtig.
- Piepende tredmolens kun je smeren met spijsolie.
- Houten speelgoed zuigt zich in de loop van de tijd vol urine en bovendien knagen de meeste hamsters er graag aan. Op een gegeven moment is het niet meer te redden. Het is dan ook belangrijk het houten speelgoed op tijd te verwisselen.
- Een gladde bodem in de speeldoos of in het aquarium kun je met leisteen bekleden. Dit helpt ook voor het afslijten van de nagels.
- Wc-rollen zijn niet alleen leuk om mee te spelen, maar kunnen bijvoorbeeld ook goed als 'wegwijzers' dienen als de dieren een nieuw voerbakje moeten vinden.

Vetgedrukte paginanummers verwijzen naar afbeeldingen; O = omslag.

Adressen

➤ Landelijke vereniging van Kleine Knaagdieren Liefhebbers, voorheen Nederlandse Muizenfokkers Club (NMC) Secretariaat: Muidertrekvaart AB 7, 1398 PP Muiden, tel. (0294) 41 41 24

➤ Vereniging van liefhebbers van Exotische Zoogdieren (VEZ), www.vez.nl

Hamsters op internet

Praktische tips over voeding, verzorging en gezondheid van hamsters, adressen van fokkers en kleindierenverenigingen vind je op de volgende internetsites:

➤ www.knaagdieren.pagina.nl

➤ www.hamster.pagina.nl

➤ www.kleindieren.pagina.nl

Boeken

Otto von Frisch, *Hamsters,* ISBN 90.5210.074.8

Peter Hollmann, *Alles over mijn hamster,* ISBN 90.5210.404.2

Tijdschriften

➤ *Avicultura*, Postbus 86, 3958 ZV Amerongen, tel. (015) 256 37 62, fax (0343) 48 14 46, www.avicultura.net

➤ *Fokkersbelangen*, redactieadres: Langeleegte 55, 9641 GR Veendam, tel. (0598) 63 32 99, fax (0598) 63 33 25, e-mail: redactie@fokkersbelangen.nl

AAN ONZE LEZERS

➤ Vertoont je hamster ziekteverschijnselen, ga dan naar je dierenarts.

➤ Sommige ziekten zijn op mensen overdraagbaar. Denk je besmet te zijn, ga dan naar je huisarts.

➤ Veel mensen zijn allergisch voor dierenharen. Raadpleeg voor de aanschaf van een hamster eventueel je huisarts.

De auteur

Monika Lange, geboren in 1968 in Duisburg, is doctoranda in de biologie. Sinds 1996 werkt ze als freelance journaliste en schrijfster. Voor haar boek *Mit Katz und Hund auf du und du* kreeg ze in 2001 de Kinderbuchpreis des Landes Nordrhein-Westfalen.

De fotografen

Giel: blz. 22; Kuhn: blz. 8 l., 9 r.b., l.o., m.o., 10, 11, 12, 14, 26 r., 27 r.b., m.r., o., 35, 54, 55, 56, O4 r.; Reinhard: blz. 9 r.o.; photonica/Neo Vision: blz. O1, 2, 3, 16, 50, 51 l., r., O4 l., m.; Wegler: blz. 13, 23, 40; Schanz: alle overige foto's.

Colofon

Omslagbelettering:
Hans Britsemmer
Oorspronkelijke titel:
Hamster, glücklich & gesund

ISBN 90 5210 490 5
Nur 431

© 2002 Gräfe und Unzer Verlag GmbH, München
© 2003 Voor de Nederlandse taal:
Tirion Uitgevers bv, Baarn
Vertaling:
Sietske Chardon-Postel

Niets uit deze uitgave mag worden verveelvoudigd en/of openbaar gemaakt door middel van druk, fotokopie, microfilm of op welke andere wijze ook, zonder voorafgaande schriftelijke toestemming van de uitgever.

Dit is een uitgave van
Tirion uitgevers bv
Postbus 309
3740 AH Baarn

Mijn hamster

Naam: ______________________________

Zo voer ik hem:

____

____

____

Lievelingsspelletjes en -speelgoed:

____

____

____

Zo wil hij worden verzorgd:

____

____

____

Dit zijn zijn eigenaardigheden:

____

____

____

Bijzondere kenmerken:

____

____

____

Dit is zijn dierenarts:

____

____

____